Doris Dörrie · Julia Kaergel

Lotte
langweilt sich

Lotte
langweilt sich

Erzählt von Doris Dörrie
Mit Bildern von Julia Kaergel

Ravensburger Buchverlag

„Lotte", sagt Lottes Mutter, „ich muss jetzt eine Stunde lang arbeiten. Und du störst mich bitte nicht. Ich mache jetzt die Tür zu und in einer Stunde mache ich sie wieder auf. Und du machst nicht den Fernseher an, hast du mich gehört?"

„Ja", mault Lotte. „Habe ich."

Doch Lotte langweilt sich so sehr, dass sich ihr Kopf ganz
matschig anfühlt. Nichts, nichts fällt ihr ein, was sie tun
könnte. „Was soll ich denn bloß tun?", ruft sie. „Es ist
ja sooooooo langweilig!"

„Hach", schreit die Langeweile, „ich werde dich so langweilen
 wie noch nie!"
„Nein!", brüllt Lotte und wirft sich wütend auf ihr Bett.
„Geh weg, du grässliche Langeweile!"

Lotte klappt in der Küche den Kühlschrank auf und zu, sie macht die Mikrowelle an und wieder aus, spuckt vom Balkon, tritt gegen den Ball. Dann klopft sie an die Tür, hinter der Mama arbeitet.

„Mama, mir ist so langweilig! Ist die Stunde schon vorbei?"

„Nein, Lotte, noch lange nicht. Schau dir ein Buch an, spiel mit deinem Ball, mal ein Bild", sagt ihre Mutter.

„Das ist mir alles zu langweilig!", schreit Lotte.

„Nur eine Stunde, eine winzige, kurze Stunde lang sollst du mich nicht stören", sagt ihre Mutter. „Ist das denn so schwer?"

„Aber wie lang ist denn eine winzige, kurze Stunde? Ist sie lang oder
kurz?", ruft Lotte. „Wenn du dich langweilst, ist sie lang, und wenn
du dich nicht langweilst, ist sie kurz!", ruft ihre Mutter zurück.

„Ich langweile mich aber!“, schreit Lotte wütend. „Und ich will,
dass die Stunde jetzt sofort vorbei ist!“

Gelangweilt wirft Lotte sich auf den Teppich im Wohnzimmer
und starrt den alten chinesischen Schrank an, auf den
ein Drache aufgemalt ist: ein grüner Drache mit einem langen
grünen Drachenschwanz, der sein Maul aufreißt. Er hat
eine feuerrote lange Zunge und vier spitze Zähne, aber wirklich
gefährlich wirkt er nicht, denn er klimpert treuherzig mit
seinen langen Wimpern. Er klimpert? Tatsächlich! Seine Augen
bewegen sich und dann sein langer Schwanz, und da kriecht
er auch schon auf seinen großen Tatzen langsam vom Schrank
hinunter auf Lotte zu.

„Hallo?", sagt Lotte vorsichtig.

„Ni hau", sagt der Drache.

„Ni hau", wiederholt Lotte langsam.

„Sehr gut", sagt der Drache, „du sprichst ja chinesisch. ‚Ni hau'
heißt auf Chinesisch ‚guten Tag'. Schön, dich kennenzulernen!
Ich langweile mich nämlich so."

„Du langweilst dich?", fragt Lotte erstaunt.
„Ja, möchtest du vielleicht von morgens bis abends
auf einem alten Schrank sitzen?", fragt der Drache,
dreht sich auf den Rücken und streckt seine
Drachentatzen in die Luft.

„Kraul mich mal", sagt er.
Lotte tippt dem Drachen vorsichtig auf seinen
schuppigen Drachenbauch.

„Mehr!", sagt der Drache. Lotte krault ihm den Bauch.
„Hm, das ist schön", knurrt der Drache. „Scheeschee.
Das heißt ‚danke‘ auf Chinesisch."

Der Drache krabbelt vom Teppich und läuft in die Küche.
„Wo willst du denn hin?", ruft Lotte.
„Hunger", knurrt der Drache, „ich habe grässlichen Hunger."
Was mag ein chinesischer Drache wohl essen?
Lotte findet ein Päckchen Glasnudeln im Vorratsschrank und
ein paar chinesische Suppen. „Magst du das?"
„Ich will Schokoladenpudding!", brüllt der Drache und legt
sich vor den Kühlschrank.

Lotte gibt ihm einen Schokoladenpudding. „Scheeschee", sagt der Drache und mit seiner langen Drachenzunge schlabbert er den Pudding im Handumdrehen weg.

Befriedigt rülpst er. Dabei kommt eine große Flamme aus seinem Maul.

„Achtung", ruft Lotte, „dass du nichts anzündest!"

„Keine Angst", sagte der Drache, „das war nur mein Feueratem, da spucke ich hinterher und der zündet nichts an. So, und jetzt machen wir einen Drachentanz."

„Einen was?", fragt Lotte, aber da watschelt der Drache schon zurück ins Wohnzimmer.

Der Drache zerrt die rote Decke mit seinen Zähnen vom Sofa.

„Die Decke hängst du dir jetzt über den Kopf", sagt er, „denn das
ist dein Drachenkopf, und auf die Finger klebst du dir lange Papier-
schnipsel, das sind deine Drachenkrallen, und die Zunge streckst
du so weit raus, wie du kannst, und dann fauchst du."

„Bekomme ich dann auch einen Feueratem?", fragt Lotte.

„Nein", sagt der Drache, „weil deine Mutter kein Drache ist, bekommst
du keinen. Aber du bist jetzt meine kleine Drachenschwester und
zusammen machen wir den Drachentanz. Alles klar?"

„Ja", sagt Lotte, „alles klar." Sie klebt sich mit Uhu Zeitungsschnipsel
auf die Fingernägel, hängt sich die rote Decke über den Kopf,
streckt die Zunge raus und kriecht auf allen vieren dem Drachen
hinterher.

Zusammen fauchen sie: „Ni hau, ni hau,
ni hau, wir sind gefährliche Drachen und
ziemlich schlau! Scheeschee, scheeschee, das
heißt auf Chinesisch ‚danke‘ und nicht ‚ne‘!"

Lottes Mutter macht die Tür auf. Der Drache macht auf den
Tatzen kehrt und läuft blitzschnell zurück ins Wohnzimmer.
„Was machst du denn da?", fragt Lottes Mutter.
„Ich bin ein gefährlicher Drache", stottert Lotte „und
ich spreche chinesisch."
„Ah ja", sagt ihre Mutter.

„Aber einen Feueratem habe ich nicht", sagt Lotte,
„weil du kein Drache bist."
„Bin ich nicht?", lacht Lottes Mutter. „Ich dachte,
manchmal bin ich auch einer. Magst du einen Kakao?"
„Ja, klar", sagt Lotte, „Drachen mögen alles
mit Schokolade."

Im Wohnzimmer sitzt der grüne Drache wieder
auf der Schrankwand und rührt sich nicht.
„War die Stunde jetzt so lang?", fragt Lottes Mutter.
„Erst war sie ganz grässlich lang und dann war sie
plötzlich viel zu kurz", sagt Lotte.
„Hast du dich gelangweilt?", fragt Lottes Mutter.
„Nö", sagt Lotte. Da blinzelt der kleine Drache und klimpert
mit seinen langen Wimpern.
„Scheeschee", flüstert Lotte.
„Hast du was gesagt?", fragt Lottes Mutter.
„Nö", sagt Lotte.

Bibliografische Information der Deutschen Nationalbibliothek:
Die Deutsche Nationalbibliothek verzeichnet diese Publikation
in der Deutschen Nationalbibliografie;
detaillierte bibliografische Daten sind im Internet über
http://dnb.d-nb.de abrufbar.

1 2 3 4 12 11 10 09

© 2009 Ravensburger Buchverlag Otto Maier GmbH
Postfach 1860 · 88188 Ravensburg
Text: Doris Dörrie · Illustration: Julia Kaergel
Redaktion: Sandra Schwarz
Printed in Germany
ISBN 978-3-473-32386-9
www.ravensburger.de